Y Dyn Dweud Drefn

Lleucu Fflur Lynch
lluniau Gwen Millward

Argraffiad cyntaf: ⓗ Gwasg Carreg Gwalch 2019
ⓗ testun: Lleucu Fflur Lynch 2019
ⓗ darluniau: Gwen Millward 2019

Rhif Llyfr Safonol Rhyngwladol:
978-1-84527-645-4

CYNGOR LLYFRAU CYMRU

Cyhoeddwyd gyda chymorth Cyngor Llyfrau Cymru.

Cyhoeddwyd gan Wasg Carreg Gwalch,
12 Iard yr Orsaf, Llanrwst, Dyffryn Conwy, Cymru LL26 0EH.
Ffôn: 01492 642031
e-bost: llyfrau@carreg-gwalch.cymru
lle ar y we: www.carreg-gwalch.cymru

Argraffwyd a chyhoeddwyd yng Nghymru

I
Betsi, Eigra, Enia, Arthur a Myfyr

Doedd neb yn y byd i gyd yn gallu dweud y drefn cystal â'r **Dyn Dweud Drefn**. Gallai unrhyw beth ei yrru o'i go' yn lân!

Pan oedd o'n deffro yn rhy gynnar yn y bore,
byddai'n dweud y drefn am nad oedd wedi
cael digon o gwsg.

Ond ...

pan oedd o'n deffro'n rhy hwyr, byddai'n
dweud y drefn am ei fod wedi cael
gormod o gwsg!

Pan oedd hi'n amser te, byddai'n hoffi cael paned. Weithiau, roedd ei baned yn rhy boeth, ac wedyn roedd o'n dweud y drefn am iddo losgi ei dafod.

Ond ... weithiau, pan oedd ei baned yn rhy oer, roedd o'n dweud y drefn unwaith eto, gan na allai fwynhau paned oer!

Hoffai'r Dyn Dweud Drefn adael y tŷ a mynd am dro bob dydd, ond doedd y tywydd byth yn ei siwtio.

Pan oedd hi'n rhy oer iddo fynd allan mewn crys a throwsus byr, roedd o'n dweud y drefn, ond hefyd ...

pan oedd hi'n rhy boeth iddo fynd allan
am dro mewn siwmper a chôt gynnes,
roedd o unwaith eto yn ...

DWEUD Y DREFN!

Doedd dim modd plesio'r Dyn Dweud Drefn.

Un diwrnod, roedd y Dyn Dweud Drefn yn cael
diwrnod o ddweud y drefn fel arfer. Doedd dim
byd wedi mynd yn iawn iddo'r diwrnod hwnnw.

Roedd o wedi codi'n **rhy hwyr** ...

... roedd ei baned yn y bore
yn **rhy oer** ...

... ac roedd hi'n **rhy boeth**
iddo fynd allan am dro.

Heb os, roedd y diwrnod hwn
yn ddiwrnod **dweud y drefn** go iawn!

Wrth i'r Dyn Dweud Drefn bwdu yn ei gadair
freichiau am y prynhawn, digalonnodd wrth
feddwl am y baned oer a gafodd yn gynharach,
gan obeithio na fyddai ei baned fory cynddrwg
ag un heddiw.

Ond yna, fe darfwyd ar ei ddiwrnod dweud y drefn arferol gan sŵn dieithr tu allan i'r drws.

"Cnoc, cnoc!"

Roedd hyn yn rhyfedd. Doedd neb byth yn dod i weld y Dyn Dweud Drefn, rhag ofn y byddai'n dweud y drefn wrthynt!

Ochneidiodd y Dyn Dweud Drefn wrth godi o'i gadair, a stompiodd at y drws yn barod i ddweud y drefn wrth bwy bynnag oedd wedi meiddio tarfu ar ei ddiwrnod ... ond doedd o ddim yn gallu gweld neb!

Pendronodd am 'chydig, yna trodd ar ei sawdl a rhoi clep fawr i'r drws, cyn stompio'n ôl i eistedd yn ei gadair.

Ond ...

cyn gynted ag yr eisteddodd, clywodd yr un sŵn tu allan i'r drws unwaith eto.

"Cnoc, cnoc!"

Ysgyrnygodd y Dyn Dweud Drefn, stompio'n ôl at y drws, a'i agor. Ond, doedd o ddim yn gallu gweld neb! Clepiodd y drws ynghau, stompiodd yn ôl at ei gadair, ac roedd ar fin eistedd pan ... ddaeth yr un hen sŵn eto!

"Cnoc, cnoc!"

Y tro hwn, roedd y Dyn Dweud Drefn yn barod i ddweud y drefn go iawn. Martsiodd at y drws a'i agor, ond cyn i unrhyw smic o ddweud y drefn ddod o'i geg, clywodd y sŵn anwylaf erioed yn dod o gyfeiriad ei draed.

"Wff, wff, wff!"

A dyna lle roedd y ci bach delaf erioed yn
eistedd ac yn ysgwyd ei gynffon yn llon.
Y gynffon fach oedd wedi bod yn curo
ar y drws!

Cyn i'r Dyn Dweud Drefn allu dweud gair, roedd
y ci bach wedi rhedeg rhwng ei goesau i mewn
i'r tŷ! Cyn pen dim, roedd y ci bach wedi eistedd
yn dwt yn ei gadair.

Ceisiodd y Dyn Dweud Drefn ei orau glas
i ddweud y drefn wrth y ci bach,
a'i hel oddi ar ei gadair, ond roedd
o'n methu'n lân â dweud y drefn
wrth greadur bach mor ddel!

Yna, rhedodd y ci bach i stafell wely'r
Dyn Dweud Drefn a neidio ar y gwely,
gan wenu'n braf.

Agorodd y Dyn Dweud Drefn ei geg,
yn barod i ddwrdio'r ci bach ond, unwaith
eto, roedd o'n methu'n lân â dweud y drefn
wrth greadur bach mor annwyl!

Ceisiodd ei orau glas i ddweud y drefn a gyrru'r ci bach allan o'r tŷ, ond methodd yn llwyr.

Erbyn hynny, roedd y Dyn Dweud Drefn wedi ymlâdd, a phenderfynodd nad oedd dim amdani ond gadael i'r ci bach aros yn y tŷ dros nos.

Pan ddeffrodd y Dyn Dweud Drefn drannoeth, clywodd sŵn dieithr iawn, sŵn crafu ar ddrws ei stafell wely.

Y ci bach oedd wedi deffro, ac roedd o wedi deffro'r Dyn Dweud Drefn hefyd!

Cododd o'i wely, yn barod i ddweud y drefn am ei bod hi'n rhy gynnar ...

Sgrats!

Sgrats!

ond edrychodd ar y cloc a gweld ei bod hi'n
amser perffaith iddo godi.

Wel dyma ddechrau da i'r diwrnod, meddyliodd
y Dyn Dweud Drefn, ond roedd o'n siŵr y
byddai'n dweud y drefn am rywbeth cyn bo hir.

Aeth y Dyn Dweud Drefn i'r gegin i wneud
paned. Ac yntau'n hwylio'r te, doedd dim stop ar
gyfarth y ci bach.

"Wff, wff, wff!"

Anwybyddodd y Dyn Dweud Drefn y ci bach,
a chymerodd lond ceg o'i de chwilboeth. Bu bron
iddo ffrwydro pan losgodd y baned ei dafod!
Ond ni chafodd gyfle i ddweud y drefn, ac
yntau'n dyfalu sut y gallai dawelu'r ci bach,
oedd yn cyfarth yn uwch erbyn hyn.

Yna cafodd syniad – bwyd! Rhaid bod y ci bach
eisiau bwyd! Llond y lle ohono!

Paratôdd y Dyn Dweud Drefn fowlennaid fawr
o fwyd i'r ci bach. Roedd llygaid hwnnw fel dwy
soser, ac ni ddaeth 'run smic o'i geg wrth iddo
lowcio'r wledd yn eiddgar.

Go drapiodd y Dyn Dweud Drefn wrth iddo gofio am ei baned o de. Byddai'n rhy oer erbyn hyn! Roedd o ar fin dweud y drefn, ond cafodd ei synnu – roedd hi'n baned berffaith!

Doedd y Dyn Dweud Drefn erioed wedi cael paned berffaith o'r blaen!

Ymlaciodd, ac eisteddodd i fwynhau ei baned yn braf, tra'r oedd y ci bach yn ysgwyd ei gynffon yn hapus wrth lowcio'i fwyd.

Roedd y Dyn Dweud Drefn yn dechrau mwynhau ei hun.

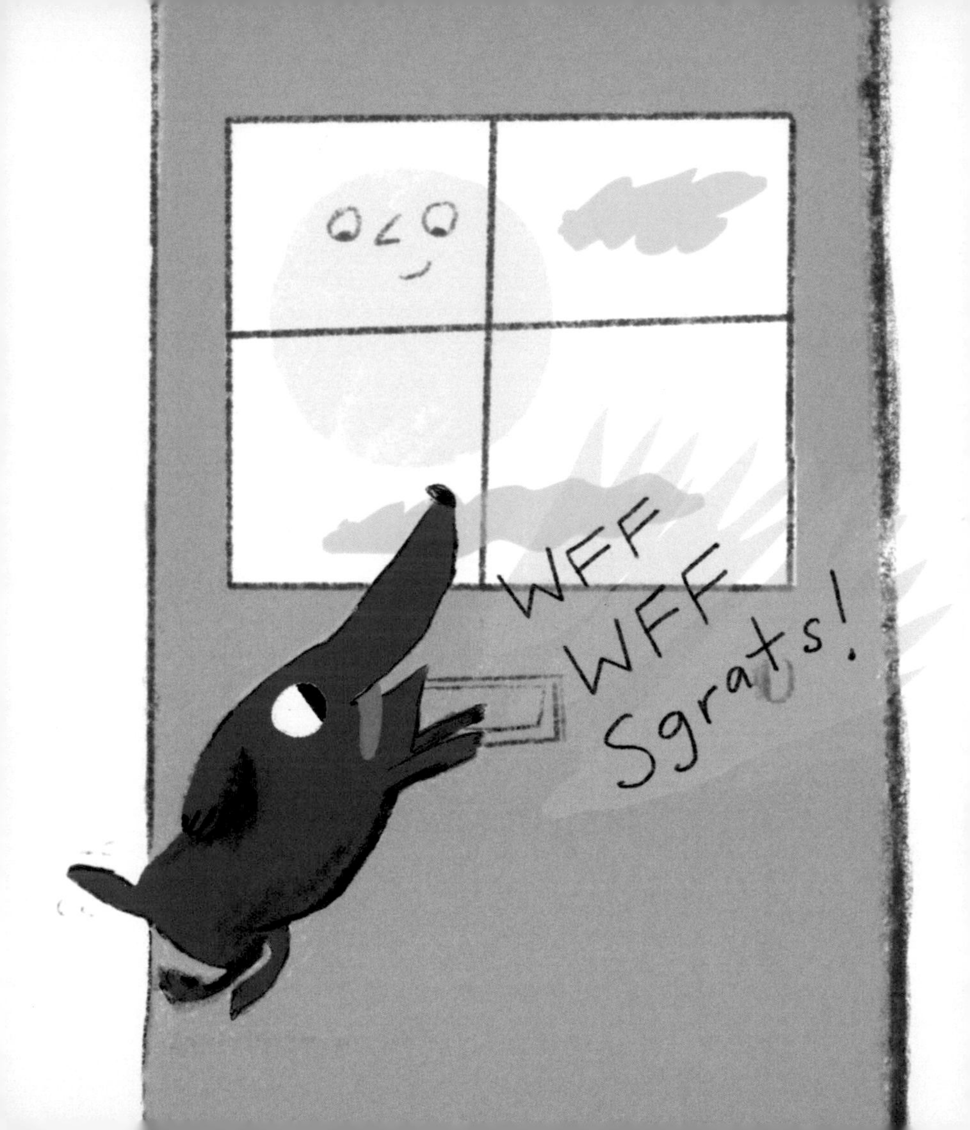
WFF
WFF
Sgrats!

Ond ... yn fuan iawn fe ddechreuodd y ci bach gyfarth a chrafu'n ddi-stop ar y drws. Roedd yn daer eisiau mynd allan am dro.

Byddai'n syniad da mynd â'r ci bach am dro er mwyn ei dawelu, meddyliodd y Dyn Dweud Drefn.

Ond ... pe bai'n rhy oer neu'n rhy boeth, byddai'r Dyn Dweud Drefn yn gorfod dweud y drefn, a byddai'n gwrthod mynd am dro!

Aeth i weld sut dywydd oedd hi. Wrth iddo agor y drws, crynodd o'i gorun i'w draed. Roedd hi'n rhy oer o lawer i'r Dyn Dweud Drefn fynd am dro heddiw! Ond, ac yntau ar fin dechrau dweud y drefn, gwibiodd y ci bach heibio'i draed, ac allan i'r oerfel gan neidio'n hapus a chyfarth yn ddi-baid.

Roedd y ci bach eisiau mynd am dro, ond doedd dim symud ar y Dyn Dweud Drefn yn yr oerfel. Galwodd ar y ci bach i ddod yn ôl i mewn i'r tŷ, ond roedd y ci bach yn gwrthod gwrando.

Doedd y ci bach ddim am dawelu hyd nes y câi fynd am dro. Roedd yn rhaid i'r Dyn Dweud Drefn ildio, er gwaetha'r oerfel, er mwyn ceisio tawelu'r ci bach.

Bachodd ei sgarff hir a'i lapio am ei wddf. Er iddo ei lapio ddwy, dair, bedair gwaith, roedd y sgarff yn dal i lusgo hyd at ei draed.

O! Roedd y ci bach yn hoff o chwarae â sgarff hir y Dyn Dweud Drefn. Tynnodd a thynnodd y ci bach yn y sgarff fel pe bai'n tynnu rhaff.

Tynnodd a thynnodd nes i'r sgarff chwyrlïo oddi ar wddf y Dyn Dweud Drefn, gan ei droelli yn ei unfan fel chwyrligwgan.

Pan beidiodd y Dyn Dweud Drefn â throelli,
sylwodd fod y ci bach wedi rhedeg ymhell, bell
i ffwrdd, gan lusgo'r sgarff ar ei ôl. Roedd y Dyn
Dweud Drefn yn fferru drwyddo, ond doedd dim
amser i ddweud y drefn, roedd yn rhaid iddo
redeg ar ôl y ci bach i gael ei sgarff yn ôl.

Rhedodd a rhedodd nerth ei draed ar ôl y ci bach ac, o'r diwedd, cafodd afael ar ei sgarff unwaith eto.

Ond yn rhyfedd iawn, doedd dim angen
y sgarff ar y Dyn Dweud Drefn bellach.
Roedd o wedi cynhesu drwyddo, ac yn fwy
na hynny, doedd y tywydd oer ddim yn ei
boeni chwaith. Oherwydd bod y ci bach
wedi ei orfodi i redeg, sylweddolodd y Dyn
Dweud Drefn nad oedd y tywydd oer
cynddrwg â hynny wedi'r cwbl!

Pan gyrhaeddodd y ddau yn ôl i'r tŷ, roedd y Dyn Dweud Drefn a'r ci bach wedi ymlâdd. Eisteddodd y Dyn Dweud Drefn yn flinedig yn ei gadair, a swatiodd y ci bach yn glyd wrth ei draed.

Wrth edrych ar y ci bach yn cysgu'n braf, sylweddolodd y Dyn Dweud Drefn nad oedd o wedi dweud y drefn o gwbl drwy'r dydd!

Roedd o wedi codi ar yr **amser iawn** yn y bore ...
roedd o wedi mwynhau **paned berffaith** ...
ac roedd o hyd yn oed wedi gallu **mynd am dro**, er gwaetha'r tywydd oer!

O! Roedd **peidio** â dweud y drefn yn deimlad da.

Ac am y tro cyntaf erioed, **gwenodd**
y Dyn Dweud Drefn. Doedd o erioed
wedi teimlo mor hapus!

Efallai na fyddai'n dweud y drefn mor
aml o hyn ymlaen, diolch i'r ci bach
a ddaeth i gnocio ar ei ddrws!

Y Diwedd